Compromisso Radical

Helena Raquel

quatro ventos

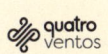

Compromisso Radical

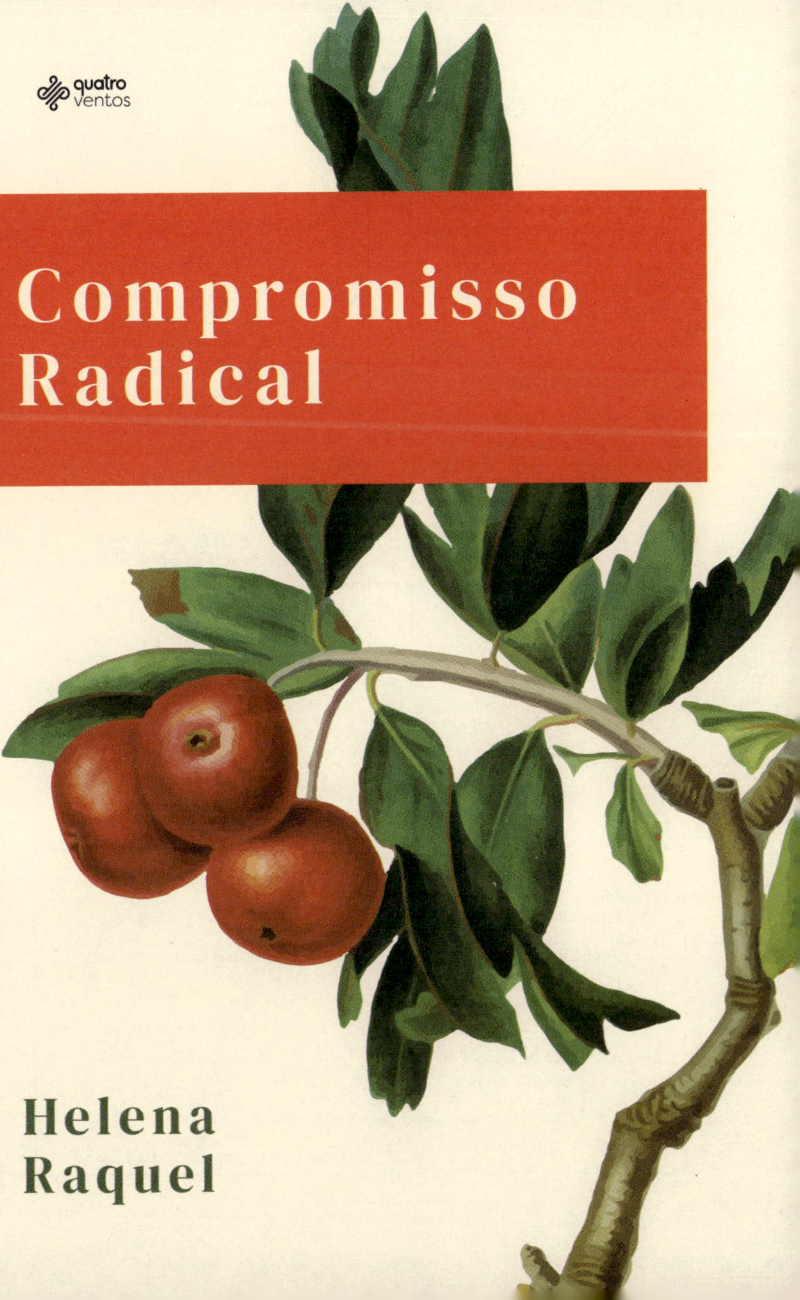

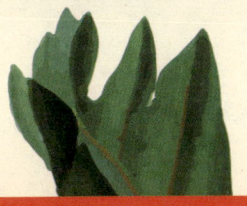

Helena Raquel

Editora Quatro Ventos
Avenida Pirajussara, 5171
(11) 99232-4832

Diretor executivo:
Raphael T. L. Koga
Editora-chefe:
Giovana Mattoso de Araújo

Editor responsável:
Lucas Benedito

Editora: Eduarda Seixas

Diagramação: Suzy Mendes
Capa: Vinícius Lira

Todos os direitos deste livro são reservados pela Editora Quatro Ventos.

Proibida a reprodução por quaisquer meios, salvo em breves citações, com indicação da fonte.

Todas as citações bíblicas e de terceiros foram adaptadas segundo o Acordo Ortográfico da Língua Portuguesa, assinado em 1990, em vigor desde janeiro de 2009.

Todo o conteúdo aqui publicado é de inteira responsabilidade da autora.

Todas as citações bíblicas foram extraídas da Almeida Revista e Corrigida, salvo indicação em contrário.

Citações extraídas do site *https://bibliaonline.com.br/arc*. Acesso em janeiro de 2024.

1ª Edição: fevereiro de 2024

Catalogação na publicação
Elaborada por Bibliotecária Janaina Ramos – CRB-8/9166

H474c

Helena Raquel

Compromisso radical: vivendo no epicentro da fé / Helena Raquel. – São Paulo: Quatro Ventos, 2024.

(Pra. Helena Raquel, V. 3)
80 p.; 12,4 X 17,5 cm
ISBN 978-85-54167-59-2

1. Vida cristã. 2. Cristianismo. 3. Fé. I. Helena Raquel. II. Título.

CDD 248.4

Sumário

Palavra inicial para os colecionáveis	**7**
Palavra de abertura	**9**
1. Caráter aprovado	**13**
2. Ofertando uma vida	**33**
3. Servo bom e fiel	**53**
Referências bibliográficas	**75**

Palavra inicial para os colecionáveis

Durante toda a minha vida, tenho tido a alegria de ler mulheres como Joyce Meyer, Lisa Bevere e Elizabeth George. Lendo-as, fui edificada e consolada; também me emocionei, sorri e chorei, exatamente como os bons livros fazem conosco.

Autoras cristãs norte-americanas, europeias e de todos os continentes têm muito a nos dizer. Entretanto, entendo que autoras crentes que pisam no mesmo solo que nós conseguirão falar de forma mais eficaz sobre nossos desafios enquanto mulheres cristãs na igreja brasileira. Temos uma realidade única em nosso país, e a cada nação cabe a sua própria singularidade.

Alegro-me profundamente com a oportunidade de, com os pés em terras brasileiras, falar a vocês por meio destes livros; poder escrever palavras que vão de encontro aos seus corações e que reverberarão em cada ministério. Sei que, assim como eu, vocês conhecem a temperatura, o sabor e a beleza de servir ao Reino aqui.

Oro a Deus, Aquele por quem vivo, para que estas obras sejam um bom instrumento para o seu aperfeiçoamento n'Ele.

Com amor e de mãos dadas com todas vocês,

Helena Raquel.

Palavra de abertura

O ministério que recebemos do Senhor envolve pessoas. É uma **pessoa** que nos separa para o ministério; depois, servimos a **pessoas**; e, também, contaremos com **pessoas** para exercermos de forma excelente aquilo para que fomos chamadas.

No meio de tanta gente, por vezes, somos tentadas a esquecer do começo de tudo, de que foi do Senhor que recebemos o nosso ministério. Se não tivesse sido entregue por Ele, de nada valeria alguém ter separado, ordenado, consagrado ou escolhido você.

Serviremos a pessoas, mas faremos isso para agradar ao nosso Pai, e não a elas. Se quem está ao nosso redor nos aprova, mas o Mestre não, então tudo está perdido; no entanto, se agradamos a Ele, não somos escravos da aprovação alheia.

Alguns ao nosso redor cooperarão conosco, servindo ao nosso lado em amor, outros, nos abandonarão abruptamente. Por vezes, seremos substituídas ou alguns ciclos se encerrarão, e as pessoas seguirão sem nós. Esses momentos não são fáceis. A meu ver, essa é uma das partes mais desafiadoras e delicadas do ministério, principalmente para quem ocupa cargos de liderança. Apesar disso, há um consolo bíblico para nos ajudar.

O Senhor está comigo entre aqueles que me ajudam [...]. (Salmos 118.7)

Por favor, leia novamente. O que a Bíblia está dizendo é que Deus está na sua equipe, e, com um time desses, você vai longe.

Capítulo 1

Caráter aprovado

*E**spero, no Senhor Jesus, que em breve vos mandarei* **Timóteo**, *para que também eu esteja de bom ânimo, sabendo dos vossos negócios. Porque a ninguém tenho de igual sentimento, que sinceramente cuide do vosso estado; porque todos buscam o que é seu e não o que é de Cristo Jesus. Mas bem sabeis qual a sua experiência, e que serviu comigo no evangelho, como filho ao pai. De sorte que espero enviá-lo a vós logo que tenha provido a meus negócios. Mas confio no Senhor que também eu mesmo, em breve, irei ter convosco. Julguei, contudo, necessário mandar-vos Epafrodito, meu irmão, e cooperador, e companheiro nos combates, e vosso enviado*

> *para prover às minhas necessidades; porquanto tinha muitas saudades de vós todos e estava muito angustiado de que tivésseis ouvido que ele estivera doente. E, de fato, esteve doente e quase à morte, mas Deus se apiedou dele e não somente dele, mas também de mim, para que eu não tivesse tristeza sobre tristeza. Por isso, vo-lo enviei mais depressa, para que, vendo-o outra vez, vos regozijeis, e eu tenha menos tristeza. Recebei-o, pois, no Senhor, com todo o gozo, e tende-o em honra: porque, pela obra de Cristo, chegou até bem próximo da morte, não fazendo caso da vida, para suprir para comigo a falta do vosso serviço.* (Filipenses 2.19-30 – grifo nosso)

O segundo capítulo da epístola de Paulo aos irmãos de Filipos é um texto apostólico. O termo "epístola", aqui, cumpre uma função bastante específica: o seu conteúdo é direcionado a mais de uma pessoa, como uma comunidade inteira ou até demais igrejas de uma mesma região.

Existem, também, outros documentos de autoria do apóstolo que são endereçados especificamente

Capítulo 1 | Caráter aprovado

a alguém, como é o caso do livro de Filemom. Em ambos os cenários, independentemente do formato ou de seu objetivo, o que prevalece é a inspiração divina e como esses conteúdos são capazes de continuar falando conosco mesmo depois tantos de séculos.

Em seus conselhos aos irmãos filipenses, Paulo ressalta a importância de uma vida espiritual equilibrada e que dê bom testemunho, citando alguns dos seus obreiros como exemplo, e explicita o seu desejo de enviá-los à igreja de Filipos, para que possam aprender e ser edificados juntos.

A verdade é que o próprio apóstolo gostaria de fazer aquela viagem, porque o seu amor e preocupação para com aquela comunidade era imenso. Contudo, ele sabia que algo assim seria muito difícil, em razão da perseguição sofrida por todos os cristãos naquele período e, principalmente, por conta de suas prisões. Paulo precisava confiar no caráter de seus discípulos e, acima de todas as coisas, na soberania de Cristo — ela supriria as necessidades e deveria ser a única motivação de tudo o que faziam.

Quando confio em alguém, estou confiando em Cristo, também. Ao designar tarefas às pessoas que

Deus trouxe para mim, minha postura declara uma mensagem sem som: acredito que o Senhor pode usá-las para o avanço do ministério e do Reino.

Apesar de parecer uma atitude simples, Paulo nos ensina muito com sua humildade e dependência de Deus. Ainda que não tivesse a chance de contemplar com seus próprios olhos o crescimento da Igreja de Jesus, seu coração estava tranquilo, confiante de que o Espírito Santo era Quem operava a obra. Por isso, devemos abandonar toda centralização equivocada, fatigante e limitadora. O Todo-Poderoso deseja usar você para levantar outras pessoas.

Precisamos crer que mesmo quando não somos capazes de ir a um lugar, não temos condições financeiras de contribuir com alguém ou não temos forças para chegar a algum lugar, a graça do Senhor continua superabundando em nosso meio.

Ele usa pessoas! É claro que, a qualquer momento, o Senhor pode intervir com Seu poder para resolver uma situação de forma sobrenatural, mas acredito que, na maioria das vezes, Ele prefere usar os Seus servos e servas para manifestar a provisão divina. Com toda certeza, mesmo com a desconfiança que sofreu no início de sua trajetória, Paulo passou a ser respeitado por grande parte da Igreja Primitiva, e assim ganhou influência e credibilidade em seus ensinos e exortações.

Nessa posição, ele poderia tranquilamente buscar privilégios ou vantagens por onde passasse, mas tomou o caminho contrário ao escolher servir a Cristo, gastando seus dias na implantação de igrejas e no discipulado de homens e mulheres que poderiam dar sequência ao seu ministério. Ele sabia que não viveria para sempre, então, buscava levantar pessoas capacitadas e comprometidas o suficiente com a causa do Evangelho antes de sua morte. Por isso, é fascinante perceber as palavras que o apóstolo utiliza para descrever alguns deles, afirmando que conhecia poucos indivíduos que tinham o mesmo zelo e cuidado com a Igreja.

A intensidade com que formamos novos líderes e cooperadores revela o quanto acreditamos na expansão do ministério que Deus nos confiou. Estenda os ramos, suas raízes estão n'Ele, que é a Rocha Inabalável.

IMITAÇÃO DE CRISTO

Em dias como os nossos, em que a busca por referências verdadeiras é cada vez maior, em que pessoas sofrem com crises profundas de identidade e aceitação, em que muitas de nós não estão satisfeitas com a própria personalidade e desejam copiar, a todo custo, os exemplos que supostamente deram "certo", Paulo nos apresenta a bênção da **singularidade**.

Amo despertar as pessoas sobre sua singularidade. Só pude assumir o lugar que Deus destinou para mim quando entendi a minha.

Comecei a pregar aos meus 14 anos. Naquela época, ouvi muitas afirmações que pesavam o meu coração. Não sei quantas vezes escutei, por exemplo, que para uma mensagem ser, de fato, "boa", vidas deveriam entregar-se a Cristo. Obviamente acreditei nisso.

Sempre que fazia o apelo, o convite, o chamado após a mensagem, convidando os que gostariam de entregar suas vidas a Jesus, e ninguém levantava a mão ou ia até a frente, eu me sentia profundamente frustrada. Isso aconteceu muitas vezes, até que, certo dia, o Espírito Santo falou ao meu coração: "Eu a chamei para edificar a Igreja". Uau! Aquilo era incrível, mas como aceitar sabendo que as expectativas das pessoas eram outras? A resposta foi bem simples: abraçando a minha singularidade. Centenas de pessoas já receberam a Cristo enquanto eu pregava, mas milhares também foram edificadas e fortalecidas ao ouvir a mensagem bíblica pregada por mim. Pense comigo...talvez alguém estava perto de desistir e, após escutar uma palavra de ânimo, se posicionou. Uma única pregação pode mudar o rumo da vida de alguém, e essa pessoa pode conduzir centenas de vidas ao Senhor. É assim que o maravilhoso Corpo de Cristo opera, cada membro atuando em sua singularidade.

> É assim que o maravilhoso corpo de Cristo opera, cada membro atuando em sua singularidade.

Ainda que a tendência atual seja a reprodução em massa, a era das cópias, das miniaturas, das repetições, Deus procura por pessoas únicas. Olhe para a palma de sua mão por alguns instantes e perceba como não existe outra igual a você. Repare nos sorrisos, nos trejeitos, no tom de voz daqueles que estão ao seu redor e começará a entender a grandiosidade e a complexidade disso. Tamanho potencial dado por Deus não pode ser resumido a comportamentos conformados, que ignoram a autenticidade da criação divina.

Não encare a minha crítica como uma descrença total a qualquer tipo de exemplo que podemos cultivar e seguir ao longo da vida. A questão é: quando decidimos parecer com alguém apenas para sermos aceitas, desconsideramos as falhas e falsas expectativas que isso pode gerar.

Acredito que isso justifica, ainda mais, o desejo de Paulo de que a igreja de Filipos conhecesse seus discípulos. A harmonia entre a singularidade e o compromisso radical com a obra de Jesus forjaram pessoas extraordinárias e que tinham muito a ensinar. Mesmo que o apóstolo fosse um pai espiritual e pedisse para que o copiassem em suas atitudes (cf. 1 Coríntios 11.1), ele reconhecia a graça de Deus sobre aqueles que andavam ao seu lado, começando por seu filho na fé, Timóteo. Será que nós temos reconhecido a graça de Deus sobre os nossos cooperadores na obra de Cristo?

Ao falar sobre o jovem, Paulo poderia ter citado diversas das suas características, mas decidiu dizer apenas que ambos possuíam **o mesmo sentimento**. Em um mundo onde a discordância é valorizada, submeter-se à unção de alguém, concordando com seus direcionamentos, pode parecer um pouco ilógico. Como pastora auxiliar do meu marido, servindo à nossa querida igreja, sei bem o que é expor uma opinião ou fazer um pedido e ser questionada sem um motivo aparente, como se algumas pessoas tivessem sempre que levantar um contraponto ou ter a última palavra. Ouvir o outro é saudável, mas detectar os contradizentes poupará o seu tempo. Aprenda a investir somente naqueles que possuem o mesmo sentimento do que você.

> Será que nós temos reconhecido a graça de Deus sobre os nossos cooperadores na obra de Cristo?

Uma liderança só funciona plenamente quando ambos os lados, líderes e lideradas, reconhecem e valorizam uns aos outros, respeitando as decisões e prezando por um ambiente onde a obediência não é impositiva. Porém, um relacionamento de submissão e serviço dessa forma só é possível quando estamos completamente rendidas à vontade do Senhor e permitimos que a Sua Palavra penetre o nosso ser e nos alinhe espiritualmente, nos tornando **um** com Ele. A partir daí, a unidade escorre pelo Corpo de Cristo e todos acessamos a mesma mente e partilhamos o mesmo coração, exatamente como o óleo precioso relatado em Salmos 133.

Satanás odeia quando isso acontece. Não só isso, como também quando alguém ao seu lado diz "Glória a Deus" e você responde "Aleluia"; quando uma irmã afirma que "Deus opera" e você, com empolgação, responde "É verdade, eu creio"; quando um ministro do Senhor recebe o microfone para cantar e você levanta as suas mãos, louvando junto e glorificando ao Pai; quando uma pregadora ungida está próxima de assumir o púlpito, e você pede a Jesus para que use a Sua serva. Todos esses são exemplos comuns da vida de uma igreja, mas já pensou se estendermos essa cooperação a todos os âmbitos da nossa vida? Nada poderia nos parar!

O poder da unidade da Igreja é avassalador para as hostes da maldade, pois até mesmo o mundo espiritual começa a se movimentar. Jesus declarou que todas as vezes em que duas ou mais pessoas estivessem reunidas em Seu nome, Ele estaria no meio delas, e tudo aquilo que concordássemos na Terra, seria confirmado nos Céus, também (cf. Mateus 18.18-20). Em outras palavras, as portas do Inferno não podem prevalecer (cf. Mateus 16.18)!

PROVADOS PARA SERMOS APROVADOS

Como disse anteriormente, esse nível de intimidade espiritual não nasce do dia para a noite. Servas de Deus verdadeiramente comprometidas com o Reino não são produzidas por acaso, mas forjadas ao longo de um árduo processo de dependência:

> *Porque todos buscam o que é seu e não o que é de Cristo Jesus. Mas bem sabeis qual a sua experiência, e que serviu comigo no evangelho, como filho ao pai.* (Filipenses 2.21-22)

A relação que Timóteo construiu com Paulo não foi aprendida em uma escola teológica ou em um seminário. Não pense que estou fazendo qualquer apologia à ignorância ao dizer isso, eu mesma tive a oportunidade de estudar em um curso superior de Teologia. Ainda assim, sei que o modelo desse jovem não era fruto de uma biblioteca, uma caminhada na beira da praia ou alguma viagem transcendental. O discípulo teve o seu caráter aprimorado e transformou-se em um homem de Deus. Timóteo experimentou aquilo que o grego descreve como *dokimos*, o teste pelo qual o ouro e prata são submetidos antes de servirem como moeda corrente. Seminários e faculdades provam, reprovam e aprovam alunos; mas obreiras do Senhor, somente Ele é capaz de gerar.

O que Paulo está afirmando aos irmãos filipenses é que a índole de Timóteo superou a prova. Quando Deus quer usar alguém de forma singular, antes Ele a testa para que esteja pronta. Então, se você tem sentido "o fogo aumentando", respire fundo, pois o Senhor deseja transformá-la em um vaso excelente.

Nesse momento, o que não podemos fazer é achar que somos as únicas sendo esticadas e pular fora do forno antes da hora. Algumas pessoas não são capazes de suportar a mínima pressão em algumas estações da vida, e desistem na primeira oportunidade. Basta que alguém faça algum comentário maldoso ou encare com um olhar julgador, que a sonoplastia comece a falhar no seu momento de ministrar, ou que um amigo desista de acompanhá-la para que nada mais faça sentido.

Não se espante se, no instante em que tudo começar a progredir, algumas portas se fecharem, suas lideradas desaparecerem ou o dinheiro faltar. Encare a adversidade como um teste divino e prossiga sem questionamentos, confiando na palavra que o Senhor depositou em seu coração.

Quase sempre, a desistência revela uma obreira descartável, como um copo de plástico, que até serve para armazenar um pouco de líquido, mas desmonta diante da pressão da água. Então, não queime as etapas! Passe pelo fogo glorificando a Deus e evite a vergonha de um ministério fácil e ilusório, que não tem seus momentos de dificuldade e provação. À medida que somos refinadas pelo Senhor, compreendemos com mais clareza quais são os dons que Ele nos deu e o nosso papel em Sua obra; desenvolvemos um coração humilde e ensinável; e conhecemos profundamente a graça da dependência divina.

FAÇA A SUA PARTE

Mais do que simplesmente sabermos sobre nós mesmas ou provarmos que estamos prontas para a próxima temporada, Deus nos presenteia com a possibilidade de vislumbrar todos que estão caminhando na mesma direção que nós. Isso, porém, pode ser uma faca de dois gumes se não formos bem resolvidas em nossa identidade e libertas de todo sentimento de comparação.

Ao recomendar Timóteo, Paulo deixa bem claro que não está enviando qualquer um, e sim **o melhor**. O apóstolo não estava fazendo qualquer tipo de acepção de pessoas com essa afirmação, ou exaltando além da conta a moral do discípulo, apenas ressaltando suas qualidades inquestionáveis. Talvez, os irmãos que leram essas palavras naquela época tenham se espantado com o termo escolhido para descrevê-lo, ou, ainda, considerado um equívoco. Quem sabe você mesma tenha se espantado um pouco com essa descrição... Mas a verdade é: precisamos admitir que existem pessoas melhores do que nós.

Com isso, não estou falando sobre um tipo de personalidade, o nível de empatia e humanidade, ou afirmando que uns são mais espirituais do que outros, somente que precisamos ser racionais quando o assunto são as habilidades e o quanto uma pessoa pode ser mais capacitada do que nós para desempenhar funções específicas. Quando reconhecemos isso sem mágoas e questionamentos, abrimos mão de todo espírito de performance e fazemos a nossa parte com mais satisfação e felicidade.

Esse tema pode parecer um pouco deslocado, mas acredite: vários irmãos e irmãs têm parado no meio da forja por terem percebido que não sabem fazer tudo. Se, por exemplo, eu não tivesse consciência do chamado que o Senhor reservou para a minha vida e não reconhecesse minha identidade de filha, poderia facilmente achar que a posição como pastora me obriga a desempenhar todas as funções dentro de uma igreja. Com o tempo, além de ficar sobrecarregada, nada do que fizesse seria excelente, e todos os outros cooperadores do Evangelho ao meu lado teriam seus ministérios sepultados pela minha arrogância.

Não faça isso! Permita que as pessoas fluam ao seu lado naquilo que foram chamadas. Tenha um bom nível de autoconhecimento, sabendo exatamente quem você é em Deus e o que foi chamada para fazer n'Ele e para Ele; cerque-se de pessoas maduras e capazes de conduzi-la na direção certa; resolva-se com todos os traumas; e faça a sua parte, entregando sempre o seu melhor e compreendendo que o Único que pode nos dar um caráter aprovado é o próprio Jesus.

Quando Deus quer usar alguém de forma singular, antes Ele a testa para que esteja pronta.

Capítulo 2

Ofertando uma vida

Além do exemplo de Timóteo, Paulo também comenta sobre outro de seus discípulos: Epafrodito. Mais à frente, nesta mesma epístola, descobrimos que o rapaz foi enviado pelos irmãos de Filipos ao apóstolo, com o intuito de lhe entregar algumas ofertas (cf. Filipenses 4.18). Contudo, ao invés de ser apenas um mensageiro, ao notar as necessidades de Paulo, Epafrodito toma a decisão de não voltar, e escolhe ser, ele mesmo, uma oferta em serviço a um ministro do Senhor.

Uma atitude tão ousada e incomum como essa nos traz diversos ensinamentos a respeito do serviço no Reino de Deus e sobre como fomos afastadas desse tipo de entrega ao longo dos anos. A compreensão da Igreja como uma instituição, e não como um organismo vivo, transformou as contribuições financeiras na única maneira de ajudarmos nossa comunidade local. No entanto, existem momentos em que nossos líderes não precisam de ofertas, mas de mulheres que decidem doar suas vidas em favor de um propósito maior.

Alguns tipos de serviços são tão específicos e demandam um nível de entrega tão grande que nem a maior fortuna poderia compensá-los. Infelizmente, algumas pessoas adentram um caminho de isenção de responsabilidades quando o assunto é o auxílio ministerial. Há, até mesmo, quem diga: "A única forma de eu contribuir com a obra missionária é doando o meu dinheiro". De fato, os recursos são sempre necessários para que o Reino de Deus avance, porém, quando restringimos a sua expansão baseado no quanto somos capazes de ofertar, nosso coração já foi roubado do verdadeiro serviço há muito tempo.

> O que Deus tem para sua vida não é apenas um cartão de dízimo ou um envelope de oferta.

O que Deus tem para sua vida não é apenas um cartão de dízimo ou um envelope de oferta. As sementes que entregamos no altar podem simbolizar a benção e a provisão do Senhor para a vida de muitos, mas isso não significa que estamos livres de qualquer outra responsabilidade. Não podemos ignorar nossa porção dentro do Corpo de Cristo.

Ao longo dos anos de ministério, conheci muitos irmãos e irmãs e fiz diversas amizades que me deram uma visão ainda mais ampla de como o Espírito Santo atua em diversas frentes por meio de diferentes pessoas. Uma das minhas amigas, por exemplo, trabalha em um centro de recuperação, ajudando pessoas em situação de vulnerabilidade e dando todo o suporte necessário para que se livrem de seus vícios antes de serem reinseridas no convívio social.

Ela desempenha um tipo de serviço que eu não teria como fazer, devido às responsabilidades como pregadora e líder de uma igreja local. Talvez, minha única forma de contribuir com a causa seria ofertando. Ainda assim, essa não pode ser uma desculpa para que eu ignore os problemas, deixe de me sensibilizar ou não busque outras maneiras de ajudar.

O que quero dizer com isso é que muitos crentes transformaram os dízimos e as ofertas em uma justificativa para cruzar os braços diante das dores do mundo e das demandas de suas comunidades. "Eu já fiz a minha parte! Estou pagando o pastor, o missionário, o cantor, o tecladista, o baterista, e isso basta!". Misericórdia! É como se essas pessoas fossem membros de um clube ou donas de um comércio. Que Deus nos livre desse pensamento mesquinho e omisso a respeito da Sua obra.

Enquanto servas do Senhor, conheceremos e conviveremos com crentes como Epafrodito, mas também com outros, que evocam sua isenção no trabalho do Mestre. Deus lhe trará, no tempo certo, os Epafroditos — pessoas que servem além do comum, com alegria de fazerem parte do que Ele está fazendo.

Quanto aos que não desejam servir como ministros, líderes e, tampouco, como cooperadores do ministério que Deus lhes confiou, liberte-os de você. Sim, é isso mesmo! Deixe-os livres da sua insistência e preciosismo travestidos de perseverança cristã. Por vezes, insistimos em pessoas desinteressadas porque não aprendemos a acolher quem quer; em outros momentos, fazemos pela vaidade pessoal de não aceitarmos uma recusa.

Quando você as liberta, também liberta a si mesma do poder que exercem sobre seu ânimo e humor. Siga amando e apascentando enquanto isso for sua responsabilidade, mas também respeite o outro com suas decisões.

Se regozije nos que acreditam naquilo que Deus lhes confiou e imbuiu.

UMA HISTÓRIA REESCRITA POR DEUS

Quando Deus encontra um coração realmente disposto a servi-lO, não importa a origem, o histórico ou os dilemas pessoais que está passando. Ele não tem nenhuma dificuldade para reescrever nossa história e ressignificar tudo em nossas vidas! Isso fica evidente quando observamos a vida de Epafrodito, que apesar de ser citado somente nesta epístola, com certeza conseguiu perpetuar a obra de Paulo por muitos anos após a sua morte.

Algo que me chama atenção no discípulo é o seu nome. Do grego *Epaphroditos*, significa "o favorito ou devoto de Afrodite". Eu presumo que, quando esse menino nasceu, seu nome foi dado em memória à deusa; não simplesmente como uma homenagem, mas como uma declaração de que ele seria o seu favorito.

Afrodite era conhecida como a deusa do amor, da beleza e da sexualidade. As celebrações em torno dela eram parte da cultura grega e envolviam a prática sexual deliberada, como as relações íntimas com suas sacerdotisas (ou prostitutas cultuais) — a prostituição sagrada —, que eram uma das expressões de adoração a essa divindade.

Contudo, quando Epafrodito teve um encontro com Cristo, tornou-se um filho de Deus e um dos favoritos do apóstolo Paulo. O menino que havia sido dedicado a uma divindade pagã ficou conhecido por sua total entrega ao Reino.

Por isso, gostaria de declarar algo sobre a sua vida: os demônios vão chorar e gemer por sua causa. Ainda que Satanás deseje arrastá-la para o caminho do mundanismo ou lembrá-la das coisas que viveu anteriormente, dizendo que foi entregue a ele desde o seu nascimento, não esqueça: você foi comprada pelo sangue de Jesus, que quebra toda a maldição! Aquilo que o próprio Deus adquiriu por um alto preço não pode ser requerido pelo Diabo, pois o

Capítulo 2 | Ofertando uma vida

Senhor tomou a sua vida das garras do Inferno e disse: "Acabou".

Se você se sente atacada de alguma forma e tem sido impedido de servir ao Senhor com excelência devido ao peso das acusações, declare isso: "Se, pois, o Filho vos libertar, verdadeiramente, sereis livres" (João 8:36).

Agora, há um mistério aqui: Epafrodito não teve o seu nome trocado. Diversos outros personagens ao longo das Escrituras tiveram seus nomes alterados, simbolizando um novo destino profético, mas o jovem não teve o mesmo privilégio.

De fato, existem coisas que precisam ser esquecidas para sempre e deixadas no passado; outras, o Senhor prefere manter em nossas vidas para envergonhar o Inimigo e glorificar o Seu próprio nome. Então, saiba que nem tudo o que você enfrentou vai desaparecer completamente. Alguns sinais vão permanecer, como cicatrizes de um acidente, para que todos possam testemunhar a falência dos planos do Maligno. Louvado seja o Senhor! Ninguém pode ou poderá impedir os planos d'Ele.

HUMILDADE E RECONHECIMENTO

Outro ponto que gostaria de ressaltar sobre a relação entre Epafrodito e Paulo é o espírito de cooperação entre ambos, baseado no respeito mútuo, e, principalmente, no reconhecimento da necessidade de ajuda por parte do apóstolo. Ele entendia que não seria possível suportar tamanhas provações se não fosse amparado pela família da fé. Evidenciamos o relacionamento forte entre os dois em Filipenses 2.25, em que Paulo chama o discípulo de irmão, cooperador e companheiro nos combates.

A ideia de chamarmos nossos irmãos e irmãs em Cristo dessa forma representa que temos um elo de amor, uma relação familiar, que precisa sair do campo das tradições, da etiqueta ou do simples costume. Devemos prezar pela construção de um relacionamento de humildade e reconhecimento que realce o verdadeiro significado dessas expressões em nosso meio. Precisamos de relacionamentos cristãos profundos, pautados em santidade, comunhão e mútua edificação.

Ao afirmar que Epafrodito era seu cooperador, Paulo queria dizer que os dois possuíam serviços semelhantes no Reino de Deus, que eram entrelaçados pela assistência de um para com outro. Um cooperador não é maior nem menor que seu companheiro, pois ambos têm o mesmo objetivo, ainda que seus trabalhos efetivos não sejam completamente iguais.

Além disso, nesse trecho, quando ressalta a importância tanto de Epafrodito, como de Timóteo, o apóstolo dá um passo para trás na hierarquia estabelecida, e decide honrar o sacrifício e a entrega de seus irmãos, muito mais do que o seu próprio. Se observarmos com atenção, veremos que ele dedica pelo menos cinco versículos para falar de cada um deles, o que, levando em conta o tamanho de uma epístola, pode ser considerado bastante. Talvez isso signifique que nós, da mesma forma, precisamos passar mais tempo exaltando as qualidades daqueles que estão ao nosso lado do que nossos feitos pessoais. Somos tentadas à

> **Um cooperador não é maior nem menor que seu companheiro, pois ambos têm o mesmo objetivo, ainda que seus trabalhos efetivos não sejam completamente iguais.**

vanglória, por isso, precisamos nos colocar diante de Cristo e tomar uma decisão piedosa como a de Paulo:

> *Mas longe esteja de mim gloriar-me, a não ser na cruz de nosso Senhor Jesus Cristo, pela qual o mundo está crucificado para mim e eu, para o mundo. Porque, em Cristo Jesus, nem a circuncisão nem a incircuncisão têm virtude alguma, mas sim o ser uma nova criatura. E, a todos quantos andarem conforme esta regra, paz e misericórdia sobre eles e sobre o Israel de Deus.* (Gálatas 6:14-16)

Acredito que a relação entre um homem e uma mulher dentro de um casamento exemplifique essa interdependência e cumplicidade de maneira bastante clara. Nenhum homem, por mais habilidoso que seja, pode diminuir a esposa por ser sua cooperadora. Aliás, uma pessoa só é capaz de auxiliar outra quando tem competência para fazê-lo.

Sempre que falo sobre o relacionamento conjugal, no que tange à mulher como ajudadora, gosto de pensar no processo de conclusão de um curso superior, em que produzimos uma monografia. Quando isso acontece, um professor-orientador é designado com o objetivo de nos auxiliar e direcionar durante as etapas de desenvolvimento desse trabalho final. Sendo assim, esperamos que essa pessoa seja, no mínimo, profissional o suficiente para solucionar nossas principais dúvidas, apontar erros e sugerir outras abordagens. Se somos alocadas com alguém descompromissado e incapaz de nos ajudar, não demorará para que reclamemos da situação, pedindo um novo mentor à coordenação do curso.

Fazendo um paralelo com o casamento, não quero dizer aqui que nós, mulheres, somos, por natureza, mais inteligentes do que os homens, ou que a solução para qualquer conflito de interesse dentro de um lar seja o rompimento, mas que devemos estar abertas para receber ajuda das pessoas que mais amamos, entendendo qual é o papel de cada um nessa relação.

Por outro lado, quando se trata da vida a dois, muitos homens não conseguem olhar para suas mulheres como indivíduos que o Senhor colocou ao seu lado para assisti-los no que for possível. Com isso, algumas esposas acabam escanteadas ou humilhadas, passando a questionar se realmente estão qualificadas para auxiliar seus parceiros. Talvez, elas tenham ouvido durante a infância, a adolescência ou juventude inteira que não eram inteligentes e que deveriam ficar quietas, sem expressar qualquer opinião. Ver esse tipo de comportamento abusivo se repetir dentro de um casamento é ainda pior, quase como um atestado de confirmação das suas limitações.

Líderes, ao apascentar o coração de mulheres, precisam considerar, de forma especial, todas essas possíveis questões. Eu, ocupando um lugar de liderança, tenho tido a doce alegria de ver cascas sendo quebradas, mitos sendo desfeitos e muros de isolamento caírem na vida de inúmeras servas amadas. Lembro-me de uma situação específica, em que cuidei de uma querida, muito bela e inteligente, com ótimo vocabulário e um chamado visível para o ministério da Palavra. Imediatamente percebi que estava diante de uma pregadora. Não demorou muito para que começasse a investir no discipulado intencional. Depois de certo tempo, comecei a confiar a ela suas primeiras oportunidades e, ali, aferi um problema. Embora assumisse o púlpito bem-preparada e consagrada, aquela jovem tropeçava nas palavras, travava em algumas sílabas e

Capítulo 2 | Ofertando uma vida

demostrava uma acentuada dificuldade em articular e verbalizar a mensagem. A questão não era física. Ela podia conversar por horas com alguém e esse traço não aparecia. Isso só acontecia quando era colocada em evidência, pois se via em posição de vulnerabilidade.

Busquei me aproximar um pouco mais e, em nenhum momento, a privei das oportunidades; sobretudo porque via nela o desejo de prosseguir e, também, considerava o quanto era movida pelo poder do Espírito Santo. Conheci a sua história e primeiros passos na fé, então percebi que ela tinha uma profunda insegurança. Na infância, a figura paterna se ausentou de forma drástica, e quando começou a caminhar com Cristo, ouviu palavras cerceadoras de seus líderes. Ela havia estado, por anos, em uma igreja onde a proeminência masculina emitia uma mensagem silenciosa sobre a condição da mulher no ministério.

Eu não desisti porque Deus não havia desistido. Lembro-me da história de Samuel e Saul, e concluo que mentores, líderes e pastores só podem desistir se Deus o fizer. Veja:

> *Então, disse o Senhor a Samuel: Até quando terás dó de Saul, havendo-o eu rejeitado, para que não reine sobre Israel? [...].* (1 Samuel 16.1)

Deus precisou sacudir Samuel, avisá-lo que não era mais necessário insistir.

Eu insisti porque ainda era tempo de insistência. Comecei a nutrir o coração daquela mulher com segurança, acentuei positivamente as oportunidades, elogiei todas as vezes que rompeu seus limites, mostrei a ela o quanto as pessoas estavam sendo tocadas pelo seu ministério e estive presente atenciosamente em cada passo. Todas as vezes em que ela pregava, eu estava bem ali, demonstrando atenção e firmeza. Sim, **firmeza**! No meu olhar, fazia com que percebesse que não estava sozinha e que acreditava na unção que Deus lhe havia dado e, sobretudo, que o passado não se repetiria ali. Ela sabia que agora havia uma autoridade que não a abandonaria de forma abrupta como o pai havia feito, e ninguém tentaria impedir seu voo com palavras limitadoras como o antigo líder. Deus, em sua graça, estava usando a minha liderança para a cura daquela mulher.

Capítulo 2 | Ofertando uma vida

Ela foi sarada da insegurança e ganhou robustez para pregar e liderar (sim, Deus foi além do que pensávamos!). Depois dos 40 anos, ingressou na faculdade para o seu primeiro curso superior. Ela cresceu, está crescendo e sei que não parará de crescer.

Nossa confiança nas pessoas reafirma o potencial que enxergamos em seu interior. Isso impulsiona o desempenho e remove toda sensação de estar atrapalhando o fluir pleno das coisas. Tropeços aqui e ali são normais e esperados, e a nossa reação diante deles revelará se somos mulheres que castram as iniciativas dos demais ou que agem segundo o modelo de Cristo.

Seja alguém que levanta pessoas para a glória de Deus.

Tropeços aqui e ali são normais e esperados, e a nossa reação diante deles revelará se somos indivíduos que castram as iniciativas dos demais ou que agem segundo o modelo de Cristo.

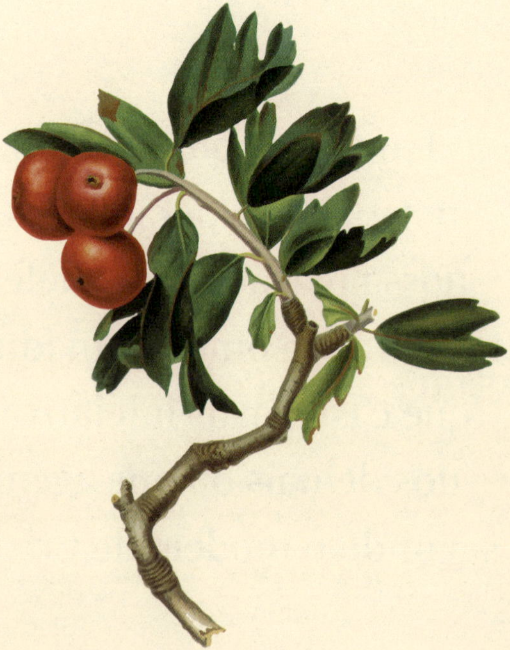

Capítulo 3
Servo bom e fiel

Porquanto tinha muitas saudades de vós todos e estava muito angustiado de que tivésseis ouvido que ele [Epafrodito] estivera doente. (Filipenses 2.26 – acréscimo nosso)

A intimidade nos permite ser vulneráveis para compartilhar nossas dores, questionamentos e lutas diárias. Nesse versículo em Filipenses, por exemplo, Paulo expõe os sentimentos de Epafrodito para a igreja de Filipos, dizendo que o jovem sentia muitas saudades e se sentia angustiado.

Nessa passagem, encontramos um nível de abertura e sinceridade bastante específico, em que um servo de Deus admite suas fraquezas sem se envergonhar. Isso é algo muito digno de se constatar. Atualmente, a tendência é uma "aura" em volta de figuras de liderança ou pessoas muito ativas no ministério, como se tivessem uma imunidade especial a doenças e tristezas. Mas de onde vem essa rejeição às dores, que não nos permite aceitar o tempo de angústia?

Infelizmente, muitos cristãos genuínos, dedicados e verdadeiros modelos de fé possuem uma característica em comum: a de negação. Acredito que esse comportamento vem da ideia de que a demonstração de fraqueza é um sinal de incapacidade. Por outro lado, também existe, em nossos dias, uma hipervalorização dos problemas, como se o simples fato de escancararmos nossa intimidade fosse resolver alguma coisa.

> Como filhos comprometidos com o Seu Reino, não podemos agir como crianças diante dos dilemas pessoais.

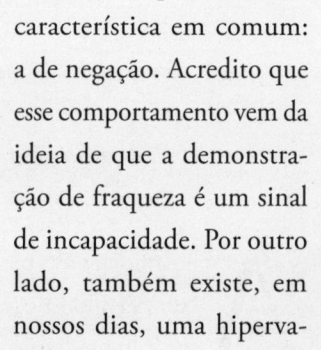

Como filhas comprometidas com o Seu Reino, não podemos agir como crianças diante dos dilemas pessoais. Os mais novos costumam fazer de um pequeno corte no dedo motivo de escândalo; bem como, têm a tendência de esconder seus machucados

Capítulo 3 | Servo bom e fiel

para provar aos outros que já não devem ser tratados de maneira infantil. Contudo, alguém que compreendeu verdadeiramente o significado de amadurecer sabe o momento certo de falar ou não sobre algo, ou quando isso apenas causará comoção.

Sendo assim, precisamos identificar quem são as pessoas e quais são os lugares corretos para abrir o nosso coração e chorar sem receios. Às vezes, nossa falta de sabedoria pode gerar traumas em quem não tem capacidade para escutar alguns assuntos, ou contaminar totalmente um ambiente com incredulidade e murmuração. Se for para gritar por ajuda, que seja diante do Pai, com um médico, uma pastora, uma amiga confiável ou um parente próximo.

Dois conselhos sempre norteiam minhas atitudes quando o assunto é vulnerabilidade e alguns processos de cura. O primeiro é: pessoas comprometidas com o Evangelho contam com a intervenção divina em suas dores. Não deixe que o sofrimento momentâneo ofusque a presença de Deus ao seu lado. Você nunca passará pelos vales sozinha, minha irmã, pois o Senhor sempre nos acompanha, em todo o tempo (cf. Deuteronômio 31.8), mesmo quando amigos e familiares parecem não compreender os nossos clamores desesperados.

O segundo conselho é: a piedade, a misericórdia e um coração quebrantado movem o coração do Pai (cf. Salmos 51.17). Não pense que o Senhor é insensível a respeito dos nossos dilemas e questionamentos, como se Ele sentisse prazer em nosso sofrimento. Contudo, não são simplesmente nossos gritos de dor e orações regadas de lágrimas que fazem os Céus agirem em nosso favor, mas também nossa postura humilhada e dependente em Sua presença, confiante de que Ele está no controle de tudo, ainda que seja difícil percebê-lO. As lágrimas só são preciosas quando envolvidas no manto da oração.

No Sermão da Montanha, Jesus deixou muito claro que o Senhor não desampara aqueles que entregam tudo por amor ao Seu Reino. Esse cuidado vai muito além de apenas fornecer alimentos e vestes a alguém; envolve a proteção, a saúde e o consolo sempre que necessário (cf. Mateus 6.25-34). Deus reconhece aqueles que são valiosos para a Sua obra e honra todos que são **indispensáveis** para a proclamação do Evangelho e cuidado com o Corpo de Cristo.

Capítulo 3 | Servo bom e fiel

INDISPENSÁVEL

Utilizar a palavra "indispensável" pode parecer um exagero, ou mesmo uma heresia, quando pensamos na soberania de Deus e em como o Espírito Santo está guiando e preparando a Noiva para encontrar com Jesus. Tudo isso acontece de maneira sobrenatural e independentemente da vontade humana. Por outro lado, negar que o Senhor conta com os Seus e que nos deu o privilégio de cooperarmos com os Seus planos também seria negar a Palavra.

Por isso, ao observar a misericórdia do Senhor sobre a vida de Paulo e Epafrodito, podemos afirmar que a vontade de Deus é poupar aqueles que trariam "prejuízo" ao Seu Reino caso morressem. Novamente, não estou dizendo, de maneira alguma, que Ele dependia dessas pessoas para operar algo na Terra, porém não podemos ignorar a relevância do apóstolo e a sua contribuição com ensinos, revelações e expansão da mensagem do Evangelho, bem como o auxílio do jovem ao seu ministério.

De fato, algumas pessoas parecem cumprir funções e propósitos muito específicos em um período, e logo são recolhidas pelo Senhor. Falo aqui sobre irmãos e irmás que gastaram suas vidas sem o conhecimento ou reconhecimento do grande público, mas deixaram sua marca em vidas e lugares antes de partir — às vezes, apenas por alguns meses ou anos. Outros, como o próprio Paulo, apesar das diversas ameaças de morte, doenças, perseguições e imprevistos, permaneceram de pé por várias décadas, sendo sustentados por Deus em prol de uma grande missão.

Epafrodito, por exemplo, esteve doente, mas não morreu, foi poupado pelo Senhor, e havia sim uma razão para isso:

> *E, de fato, esteve doente e quase à morte, mas Deus se apiedou dele e não somente dele, mas também de mim, para que eu não tivesse tristeza sobre tristeza.* (Filipenses 2.27)

Epafrodito não vive apenas para si, mas sua vida abençoa diretamente a alguém. A cura do discípulo não foi unicamente uma demonstração da piedade de Deus para com ele, mas também com Paulo. Oro para que, da mesma forma, Deus veja em nossas vidas importância para nossos irmãos e para o Reino.

Capítulo 3 | Servo bom e fiel

HONRANDO OS DESTEMIDOS

> *Recebei-o, pois, no Senhor, com todo o gozo, e tende-o em **honra**: porque, pela obra de Cristo, **chegou até bem próximo da morte**, não fazendo caso da vida, para suprir para comigo a falta do vosso serviço.* (Filipenses 2.29-30 – grifo nosso)

O apóstolo Paulo tinha consciência do cuidado de Deus, tanto pela provisão do Alto, como pelo auxílio dos irmãos em Cristo que ele conheceu ao longo dos anos, nas mais diferentes localidades. Contudo, ele também sabia que o princípio da honra deveria ser incentivado e praticado dentro de sua comunidade local, em agradecimento ao Senhor e valorização pessoal daqueles que se dedicavam arduamente ao Reino de Deus.

Satanás não fica nada satisfeito quando esse tipo de princípio celestial é posto em prática de maneira tão evidente, e, por vezes, influencia algumas pessoas a desqualificarem esses obreiros. Aliás, nos dias atuais, é cada vez mais comum vermos alguns reclamando se um servo de Deus é honrado diante de todos.

As murmurações são várias: "Por que ele está sentado justamente naquela cadeira?", "Por que ela recebeu um presente tão caro?", "Qual é o motivo de todos abraçarem e apertarem a mão daquele pastor?". A resposta é simples, mas dura: porque alguns irmãos e irmãs têm desempenhado papéis e feito sacrifícios que não estamos dispostas.

O termo específico que Paulo usa para descrever indivíduos como Epafrodito e Timóteo é *parabouleuomai*, isto é, alguém que está sempre se arriscando e entrando em aventuras perigosas. Pessoalmente, acredito que essa palavra tenha sido a inspiração para o nome de outro grupo formado durante os primeiros séculos da Igreja — os Parabolanos[1].

Durante a Peste de Cipriano, muitos cidadãos tinham o costume de lançar os corpos dos mortos nas ruas para evitar a contaminação dentro de casa. Por

---

[1] Não existe consenso historiográfico sobre o surgimento oficial dessa ordem, porém, muitos relacionam a sua criação ao período da Peste de Cipriano (249/251 d.C. – 262/270 d.C.). Acredita-se que alguns fiéis foram reunidos em assembleia e encorajados por um bispo cristão, São Cipriano de Cartago, formando, então, a Irmandade.

conta disso, quase ninguém era sepultado e as cidades permaneciam em um clima constante de terror.

Nesse contexto, a Irmandade dos Parabolanos reuniu-se para enterrar os mortos e cuidar dos enfermos na cidade açoitada pela praga. Agindo dessa maneira, esses homens arriscaram a própria vida, para amenizar a desolação causada por uma doença tão moral.

Ainda hoje, a Igreja de Cristo necessita dos seus "parabolanos"; pessoas dispostas a entregar suas vidas à serviço do Reino e de seus irmãos. Pode ser que o seu peito tenha apertado ao escutar a sua convocação, talvez por saber que o seu chamado está voltado para um tipo diferente de serviço ou por ainda não se sentir pronto para tamanha responsabilidade. Mas preste atenção: independentemente da sua estação de vida ou nível de preparo, nada impede você de abençoar alguém que conhece com a ajuda que está ao seu alcance.

Graças a Deus, muitos têm entendido a seriedade do princípio da honra e sustentado o ministério de muitos homens e mulheres de Deus no campo missionário, em igrejas afastadas, em contextos de perseguição e escassez, no campo, na chuva, no frio, no calor, nas madrugadas, gastando a vida, dormindo e comendo pouco. No entanto, pode ser que uma oração, um abraço ou um tempo de conversa seja tudo o que você tenha para oferecer neste momento, e se for isso, faça com todo amor e dedicação.

NOSSO VALOR ESTÁ EM CRISTO

Durante muito tempo, ouvi dizer que os elogios matam: "Não elogie, não, porque o sucesso vai subir à cabeça". Porém, posso afirmar que a falta de elogios acaba com a confiança de alguém ainda mais rápido. Pode não parecer, mas a arte de ressaltar as qualidades de uma pessoa é sancionada pelo próprio Espírito Santo; até mesmo Deus elogia os Seus filhos. Lembre-se da história de Jó, por exemplo, que foi exaltado pelo Senhor, diante de Satanás e dos anjos, por sua fidelidade e devoção (cf. Jó 1.8).

Quando elogiamos alguém de maneira bem-intencionada, não para provocar inveja nos outros ou fazer com que a pessoa se sinta envergonhada ou desconfortável, fortalecemos os laços de irmandade e valorizamos o caráter singular do nosso próximo.

Capítulo 3 | Servo bom e fiel

Por isso, deixe que o Senhor use você para fazer resplandecer as pedras preciosas que Ele colocou ao seu lado! Existem coisas que somente a nossa sensibilidade espiritual e disponibilidade para honrar poderão destravar em nossos irmãos.

Certa vez, fui convidada para pregar em uma igreja, em Juiz de Fora–MG, e cheguei um pouco atrasada para o culto. Assim que entrei no local, procurei um lugar para me sentar e fiquei esperando minha hora de subir ao púlpito. Normalmente, em congressos especiais como aquele, os organizadores costumam apresentar o pregador da noite com algum vídeo ou foto no telão da igreja, contando parte da sua biografia.

Para a minha surpresa, naquele evento, em específico, eles decidiram não fazer nada desse tipo. Um pouco antes da pregação, uma irmã recebeu o microfone, pegou uma folha e começou a falar sobre uma mulher. Ela não disse quem era, mas começou a ressaltar várias qualidades dela, coisas que tinha feito, lugares por onde havia passado, como ela era uma pioneira e desbravadora, e não demorou para que eu pensasse: "Meu Deus, quem será essa pessoa?".

A moça, então, terminou sua apresentação, olhou para mim e disse: "E aqui está a nossa irmã, Helena Raquel". Eu tomei um susto, pois realmente não estava conectando todos aqueles elogios e feitos à minha pessoa. Algum tempo depois, refletindo sobre esse episódio, fui despertada para uma dura realidade... Às vezes, só conseguiremos valorizar todos os dons e talentos que o Senhor nos presenteou quando alguém verbalizá-los. Contudo, ao invés de cultivarmos esse comportamento, preferimos relembrar dos fracassos e defeitos alheios.

Se posso liberar uma palavra de fé sobre a sua vida, declaro que, a partir de hoje, você será um alto-falante do Céu para animar pessoas no meio das suas amizades, da sua família e da sua igreja. A mesma unção que Deus tem colocado sobre o meu ministério para levantar pessoas e restaurar vidas e ministérios, compartilho com você, neste momento!

Não pense que estou incentivando tudo isso por influência de algum tipo de confissão positiva ou variante da teologia coach. Isso não faz parte da teologia pentecostal! Meu único objetivo ao promover e impulsionar tanta gente é, simplesmente, colocar em evidência o valor mais precioso que há dentro de cada filha de Deus: Jesus. Até porque, se existe algum valor em nós, é por causa d'Ele.

O apóstolo Paulo gasta, pelo menos, dez versículos para falar de Timóteo e de Epafrodito, pois sabia que eles carregavam algo valioso. Os dois só haviam sido provados e aprovados como ouro e prata para serem moeda corrente por conta desse valor. Mais do que vangloriá-los perante a igreja de Filipos, ele compreendia que a honra maior era direcionada ao Único Digno.

O Espírito Santo tem compungido o meu coração por todos os lugares que tenho passado, falando sobre servos de Deus que se esqueceram quão preciosos são, ou seja, deixaram de trazer a memória que a presença de Jesus em seu interior é o seu bem mais importante. Por causa disso, muitos se sentem menosprezados e duvidam de suas capacidades. Às vezes, tudo o que lhes falta é um receber um abraço ou uma palavra de gratidão.

No entanto, se o nosso trabalho ao Senhor é motivado apenas pela obrigação, e deixou de ser tê--lO como centro de todas as coisas, é o momento de sermos envolvidas pelo Espírito Santo e relembradas do sangue precioso que nos comprou por um alto preço. Na última oração de Jesus, antes de ser crucificado, Ele pediu ao Pai que Seus seguidores dessem glórias a Deus, como Cristo fez ao longo de todo o Seu ministério, e que permanecessem firmes e guardados em unidade até o fim:

> *Eu glorifiquei-te na terra, tendo consumado a obra que me deste a fazer. E, agora, glorifica-me tu, ó Pai, junto de ti mesmo, com aquela glória que tinha contigo antes que o mundo existisse. Manifestei o teu nome aos homens que do mundo me deste; eram teus, e tu nos deste, e guardaram a tua palavra. Agora, já têm conhecido que tudo quanto me deste provém de ti, porque lhes dei as palavras que me deste; e eles as receberam, e têm verdadeiramente conhecido que saí de ti, e creram que me enviaste. Eu rogo por eles; não rogo pelo mundo, mas por aqueles que me deste, porque são teus. E todas as minhas coisas são tuas, e as tuas coisas são minhas; e nisso sou glorificado. E eu*

> *já não estou mais no mundo; mas eles estão no mundo, e eu vou para ti. Pai santo,* **guarda em teu nome aqueles que me deste***, para que sejam um, assim como nós.* (João 17.4-
> -11 – grifo nosso)

Se estivermos nos distanciando dessa verdade declarada sobre nossas vidas, devemos voltar ao lugar de paixão, humildade e dependência em que o Senhor nos encontrou. Jesus chorou por aqueles que ainda nem O conheciam, faça como Ele! Se você sabe de alguém próximo que precisa ouvir essas palavras e ser relembrado do seu valor, não perca tempo! São pessoas que o Senhor levantou para uma obra específica, e que, talvez, estão se sentindo cansados e desonrados. Uma palavra de Deus vinda da sua boca pode renová-las completamente e fazê-las perceber que a única fonte de satisfação em meio às tribulações da vida é o próprio Cristo.

SATISFEITOS COM A ETERNIDADE

A obra de Deus não é um parque de diversões, é uma guerra, mas temos a garantia de que vamos vencer. Ao falar sobre Epafrodito, Paulo não esconde esse fato (cf. Filipenses 2.25). O apóstolo poderia dizer que os dois desfrutavam de belas tardes ensolaradas, em parques, restaurantes ou na academia, mas decidiu ser realista com os irmãos filipenses a respeito da vida ministerial.

Um pouco antes disso, ele também estava declarando o quanto gostaria de estar com todos em Filipos, mas reconhecia as circunstâncias desfavoráveis. Por fim, ele decidiu não fazer qualquer tipo de promessa e reafirmar que simplesmente confiava no Senhor.

Outro duro aspecto do ministério genuíno é a confiança cega que devemos ter em Deus, afinal de contas, nem mesmo as declarações cheias de fé de grandes ministros do Evangelho podem corresponder à verdade do futuro. Ainda que a nossa esperança esteja aquecida em todo o tempo, a consciência de que apenas o projeto de Deus é irrevogável deve ser constante em nossa mente.

Não quero matar a fé de ninguém, mas nem tudo que sonhamos irá se cumprir. Quando dizemos que os planos e caminhos do Senhor são mais elevados que os nossos (cf. Isaías 55.8-9), estamos afirmando com todas as letras que a Sua vontade é a única que prevalece em nossas vidas. Todos os nossos desejos estão condicionados a Ele, pois escolhemos de livre e espontânea vontade nos submeter aos Seus desígnios.

Não deixe de fazer declarações de fé sobre a sua família, seu marido, sua esposa, seus filhos, mas não confunda as coisas. Não podemos escolher um versículo isolado ou um texto poético da Bíblia e tomar isso como nossa doutrina pessoal, ignorando a realidade espiritual que nos cerca. Devido a essas distorções, muitos têm negligenciado a sua saúde, feito dívidas, prejudicado seus casamentos e contaminado seus ministérios! A única coisa em que podemos acreditar de todo o coração e depositar toda a nossa confiança é na promessa que Ele fez a nós: a vida eterna.

> *[...] Pai, é chegada a hora; glorifica a teu Filho, para que também o teu Filho te glorifique a ti, assim como lhe deste poder sobre toda carne, para que dê a vida eterna a todos quantos lhe deste. E a **vida eterna** é esta: que conheçam a ti só por único Deus verdadeiro e a Jesus Cristo, a quem enviaste.* (João 17.1-3 – grifo nosso)

As Escrituras Sagradas estão repletas de verdades profundas, profecias impactantes e revelações extraordinárias, porém, existe **a promessa**, aquela que todo cristão verdadeiro aguarda ardentemente. É como se a Palavra de Deus gritasse em nossos ouvidos: "Tire os seus olhos de todas as outras coisas, porque o seu prêmio já está garantido".

Tomara que você dirija um carro zero, faça uma viagem internacional de primeira classe, conclua um mestrado ou um doutorado, tenha o casamento dos seus sonhos, visite Israel e passeie pelas ruas de Jerusalém. Mas que nenhuma dessas coisas roube a sua expectativa pela eternidade com Cristo. Conhecer o Deus verdadeiro por meio de Seu Filho, Jesus, é a maior dádiva que podemos receber nesta vida. Foi com esse anseio no coração que homens e mulheres ao longo dos séculos entregaram suas vidas, sem medo da morte, e o objetivo com o qual devemos fazer um **compromisso radical** todos os dias, até que Ele venha e seja tudo em todos (cf. 1 Coríntios 15.28).

> Conhecer o Deus verdadeiro por meio de Seu Filho, Jesus, é a maior dádiva que podemos receber nesta vida.

Pode ser que uma oração,
um abraço ou um tempo
de conversa seja tudo o que
você tenha para oferecer
neste momento, e se for isso,
faça com todo amor
e dedicação.

Referências bibliográficas

CAPÍTULO 1

DOKIMOS [1384]. *In*: DICIONÁRIO bíblico Strong. Barueri: Sociedade Bíblica do Brasil, 2002.

CAPÍTULO 2

EPAPHRODITOS [1891]. *In*: DICIONÁRIO bíblico Strong. Barueri: Sociedade Bíblica do Brasil, 2002.

RAGUSA, Giuliana. **Cólera, paixão e morte**: a representação de Afrodite no Hipólito, de Eurípides. Classica: São Paulo, v. 15, p. 79-98, 2003. Disponível em: *https://revista.classica.org.br/classica/article/view/230*. Acesso em janeiro de 2024.

CAPÍTULO 3

BIBLEHUB. **Bible Hub, 2024**. 3850 a. paraboleumai. Disponível em: *https://biblehub.com/greek/3850a.htm*. Acesso em janeiro de 2024.

FORTESCUE, Adrian. **The greek fathers**: their lives and writings. California: Ignatius Press, 2007.

Este livro foi produzido em Adobe Garamond Pro 11 e impresso pela BMF Gráfica e Editora sobre papel Pólen Natural 80g para a Editora Quatro Ventos em fevereiro de 2024.